W9-CEW-432

Con mucho amor
y cariño,
Julio M. Portella
11-11-03

Este libro está dedicado a mis cinco mangoes pequeñitos y a su mamá Rebecca, la inspiración de mis ojos. Para Star y April por servir como árboles adultos de mangó para sus hermanitas y hermanitos. Finalmente, para todos los maravillosos maestros, padres y los preciosos niños que afortunadamente he llegado a conocer durante los últimos dos años. Muchas gracias por su amor y su amabilidad.

—F.M.P.

Los dibujos en este libro fueron inspirados por la belleza interna de aquellos niños que he conocido. íTodos los niños del mundo son tan sanos y cariñosos! A todos los niños, sus padres y sus maestros, con mucha gratitud, les dedico estas ilustraciones.

—E.S.P.

LIBROS: Encouraging Cultural Literacy
P.O. Box 453
Long Beach, NY. 11561

Text copyright © 2002 by Felix M. Padilla
Illustrations copyright © 2002 by Eren Star Padilla
All rights reserved including the right of reproduction in whole or in part in any form.
The text of this book is set in 32 point Arial.
The illustrations are in colored pencil.
First Edition
Printed in Hong Kong

Publisher's Cataloging-in-Publication
(Provided by Quality Books, Inc.)

Padilla, Felix M,
    I want to be like the mango tree / story by Felix M. Padilla ;
illustrations by Eren Star Paadilla.
       p. cm.
       SUMMARY: Compares a child's development to the stages
of growth of a mango tree, thereby encouraging children
to value timeless verities like belonging, family, friends,
community wisdom and happiness.
       Audience: Grades K-8
         LCCN 2002090350 (English)
         LCCN 2002090351 (Spanish)
         ISBN 0-9710860-0-1 (English)
         ISBN 0-9710860-1-X (Spanish)

    1. Personality development--Juvenile fiction.
    2. Character--Juvenile fiction.
    [1. Character--Fiction. 2. Values--Fiction.]
    I. Padilla, Eren Star.. II. Title.

PZ7. P1335Iw2002   [E]
                QBI33-517

Quiero ser
como
la semilla
de
mangó,

que sabe
cuándo
es el momento
de convertirse
en un
árbol
maravilloso.

Quiero ser
como
el retoño
de la
semilla
de
mangó,

que echa
raíces
profundas
en la tierra
fértil
de su patria.

Quiero ser
como el
árbol
de mangó
recién
nacido,

que confía
en que el
Padre Sol y la
Madre Lluvia
ayuden su
cuerpo a crecer
saludablemente.

que se
mueve libre
de un lado a otro,
con el vaivén
de su tío,
el Viento Mecedor.

Quiero ser
como
el árbol
de
mangó
niño,

que acepta
a todos
los árboles
de la tierra
como si fueran
sus hermanos
queridos.

Quiero ser
como
el árbol
de mangó
adolescente,

que siempre
escucha
los murmullos
dulces de sus queridos
padres,
abuelos y
antepasados.

Quiero ser
como
el árbol
de mangó
adulto,

que comparte
feliz
su fruta
divina
con todos.

Quiero ser
como el árbol
de mangó sabio, que
amablemente inspira a
sus pequeños arbolitos a
extender sus ramas hasta
tocar las estrellas.